劉福春・李怡 主編

民國文學珍稀文獻集成

第三輯

新詩舊集影印叢編　第104冊

【王獨清卷】

王獨清詩歌代表作

上海：亞東圖書館 1935 年 12 月出版

王獨清　著

花木蘭文化事業有限公司

國家圖書館出版品預行編目資料

王獨清詩歌代表作／王獨清　著 — 初版 — 新北市：花木蘭文化事業有限公司，2021〔民110〕

204 面；19×26 公分

（民國文學珍稀文獻集成・第三輯・新詩舊集影印叢編　第 104 冊）

ISBN 978-986-518-473-5（套書精裝）

831.8   10010193

ISBN-978-986-518-473-5

9 789865 184735

民國文學珍稀文獻集成 ・ 第三輯 ・ 新詩舊集影印叢編（86-120 冊）
第 104 冊

王獨清詩歌代表作

著　　者　王獨清
主　　編　劉福春、李怡
企　　劃　四川大學中國詩歌研究院
　　　　　四川大學大文學學派
總 編 輯　杜潔祥
副總編輯　楊嘉樂
編　　輯　許郁翎、張雅淋、潘玟靜　美術編輯　陳逸婷
出　　版　花木蘭文化事業有限公司
社　　長　高小娟
聯絡地址　235 新北市中和區中安街七二號十三樓
　　　　　電話：02-2923-1455 ／傳眞：02-2923-1452
網　　址　http://www.huamulan.tw 信箱 service@huamulans.com
印　　刷　普羅文化出版廣告事業
初　　版　2021 年 8 月
定　　價　第三輯 86-120 冊（精裝）新台幣 88,000 元　　　版權所有・請勿翻印

王獨清詩歌代表作

王獨清　著

亞東圖書館（上海）一九三五年十二月出版。
原書三十二開。

王獨清詩歌代表作

1

目　次

代　序

王獨清及其詩歌

穆木天

一

從"五四"到"五卅"代表中國詩壇的大詩人，可以舉出郭沫若，徐志摩，和王獨清來。雖在同一的時代潮流中泳着，這三位詩人是浴在不同空氣裏，代表着三種不

2

大相同的心理意識。自然，這三位詩人的
作品，並不限於這個期間，而還持續到以
後的時代，但是能代表這個時代的精神
的，可以說是這三位詩人。

那一個時代，是一個浪漫主義的時
代。在歐洲起了帝國主義的世界戰爭，而
乘着那個機會，資本主義，在中國這塊土
上，含了最後一次的短命的花苞。可是，
在當時我們的青年們以為那會開放永生之
花。在各處，青年的情緒在澎湃着。到
處，形成了父與子的衝突。到處，新舊的
勢力在鬥爭着。然而在另一方面，歐戰
告終，帝國主義又向我們這塊土上伸手。
那固有的封建勢力，同時并進地，向着中
國的新的青年進攻，使新的青年的要求惝
憧難以實現。在這種矛盾衝突之中，使中
國的新青年在現實生活中找不出來廣坦的
出路，於是上了浪漫主義的路途，狂飆似

3

地叫號着，喇叭似地吶喊着。他們在感情
奔放中去求滿足。他們在作品中去尋求個
人的解放。他們沒有踏入現　，而特別地
是那些詩人們。那一個時代，是一個浪漫
主義的時代。

在那個時代，以前醉心於科學的青
年,被"五四"的狂飆所吹盪着,有的竟轉到
文學方面的活動來。對於科學沒有多少緣
分而有文學天才的人，更想飛躍地開拓文
學這個新的園地　舊的時代已經崩潰，而
新的曙光還沒有正確地被他們瞥見，於
是，那些人們不能夠走向現實主義之路。
他們不去利用他們的理智，也許他們的理
智是薄弱的。他們奔放開他們的感情。他們
的感情，如久羈之野馬被放開　咆哮地，
奔馳上了廣漠的原野。他們發達他們的想
像，想像着他們所渴望着的世界。他們理
想着，而特別地，是當代的詩人們，在詩

歌中，描畫出來他們的心慾之國。

但是我們不能否定的，當時在中國是新文化的萌芽期，可是在同時代的歐洲，十九世紀的文化已解體，到處漂露着世紀末的悲哀。同時在中國，一方面有的人在憬憧着新的世界，另一方面有的人在流露着沒落的悲哀。而從舊的地主貴族的環境轉到資本主義社會的環境的詩人，更容易懷有着憑弔的悲哀的，所以，我們可以找出有濃厚的資產階級意識的詩人，而同時，也有具有濃厚的貴族的意識的詩人。雖然，生在同時代中，同樣是浪漫的，同樣憬憧着未來，可是，他們的要求是有大的出入的。同樣地去接收西洋文學，可是接收的方式與所接收的東西也是會有差異的。在我們的這個時期的浪漫主義的詩人，從其生活背景心理意識上言之，可以分為——雖然不能極嚴格地——兩個不同

5

的種類：貴族的浪漫主義的詩人，和資產
階級的浪漫主義的詩人。而代表貴族的浪
漫主義的詩人，則是獨清。這種貴族的浪
漫主義的詩歌之傾向，是直到某種程度與
西歐的世紀末的文學相連繫着。

二

在"我文學生活的回顧"裏，獨清說：
"我的家庭，是破落的官僚家庭，古色古
香的文學空氣非常濃厚，這便影響了我。"
這一種影響也可以說，在獨清的詩裏，直
持續到現在。沒落的貴族情緒，在獨清
的詩作裏，濃厚地，反映出來。獨清流浪
到歐洲，在歐洲的大陸上，他作了他的放
浪之旅。他接觸了哀希臘的拜輪的惡魔主
義，他領受了繆塞的 Dandysme。同時，
他更遇到了象徵派頹廢派諸人的詩歌。"歐
洲是大戰後資本主義破產的現象最顯明的

8

地方"，獨清自己　是中國的沒落貴族的最顯著的代表，因之，一方，他在過去同貴族的浪漫詩人相結合（繆塞與拜輪），而在現在同象徵派頹廢派詩人起了親密的連繫。這決非偶然的事體。要是依據詩人獨清自己所說是："又卽刻染上感傷主義的色彩"，但是，那種感傷主義，不是盧梭的感傷主義，而是世紀末的感傷主義。

一部"聖母像前"是被這種感傷主義的氛圍氣所籠罩着。如果把各部分的標題看一下，就可知道感傷主義的空氣是如何地濃厚了。"悲哀忽然迷了我的心"，"流罪人語"，"失望的哀歌"，"頹廢"，"Melancholia"，"飄泊"。這些部分的標題已充分暗示出詩人的感傷主義和頹廢主義的情調來。在這種氛圍氣中，獨清歌唱出他的兩種重要的動機：第一是對於過去的沒落的

7

貴族的世界的憑弔，第二是對於現在的都市生活之頹廢的享樂的陶醉與悲哀。自然，他這兩種動機是最嚴密地相連繫着。然而，在到處，都是反映着他的貴族的形象。

獨清始終忘不了他自己，他的沒落的貴族的家庭。從古都長安出來，到了巴黎，這位落難公子感到自己是"流罪人"，不住地，回顧自己的身世。在他到了聖母的像前，他的貴族的個人主義的傲慢使他主張出來私生子的特權，使他自命是偉大的人物，　如同耶穌一樣，如同孔丘一樣。他的貴族公子的天性，使他永遠忘不了他的出身的高貴。他藉着馬利亞和顏氏的形像，以神化他的出身，他認爲他的出生是得天獨厚。看他怎樣歌頌那兩位母親罷：

私生兒之母，你兩個是東西的悲哀之母喲！

私生兒之母，你兩個是東西的智慧之母喲！

8

——聖母像前

但是，在聖母像前，他醒悟了，他找到了他的整個的哲學。他說：

現在我醒了，醒了；

我眼前的馬利亞，我心上的顏氏女！

智慧是由悲哀造成，悲哀，是永遠不死！

哦，智慧的尋求者！哦，我！

我也先尋求悲哀去，

我要以悲哀的尋求，爲我人生的開始！

——聖母像前

悲哀的尋求者詩人獨清看見了他尋求的劃像，在他的那些哀歌裏，我們可以時時發現出來各種代表悲哀的形像："枯葉"，"冷風"，"荒草堆"，"灰土"，"孤墳"，"落花"，"亡命的人"，"腐敗了的土塊"，"死"，"長眠"等等。在悲哀中，詩人獨清追求着智慧。他到咖啡館裏陶醉，他到暮色的公園裏沉醉。在"水綠色的燈

9

下"，他享受剎那的顫慄的肉感（"玫瑰花"）聽着曼都林的聲音，他悲嘆着那位故國將要毀破的墮落的波斯的少女的身世（"Une jeune vagabonde persane"）。自然，她那種身世，令詩人感到自己的身世的。在悲哀的追求中，詩人獨清發現到祇有愛的陶醉是流罪人的安慰了，感傷着那位波斯少女的身世，他歌唱道：

我在爲她感傷呀，我也在爲我感傷呀，

——我要叫她來，叫她來把頭兒貼住我底心窩！

——Une jeune vagabonde persane.

他沒有能夠理智地找到他的歸趨，而祇是尋找到如浮沙般的剎那的陶醉。

"舉杯消愁愁更愁"。剎那間的肉的陶醉終不能給獨清以安慰，使獨清得着安宿。在"我從 Café 中出來……"裏，他歌唱道：

我從 Café 中出來，

10

身上添了

中酒的

疲乏，

我不知道

向那一盞走去，總是我底

暫時的住家……

啊，冷靜的街衢

黃昏，細雨！

我從 Café 中出來，

在帶着醉

無言地

獨走，

我底心內

感着一種，要失了故國的

浪人底衰愁……

啊，冷靜的街衢，

黃昏，細雨！

11

——我從 Café 中出來

　　都市生活，一天一天地，使獨清小資產階級化，而使他認真地成爲流浪的人了。他哀愁，他絕望。沒落的貴族的情緒中混着頹廢的小市民的失望，越法地陶醉，越法地使他自覺到是一個要失了故國的人了。市民社會的肉的享樂不能滿足他的"絲鞍白馬"的要求　於是在"最後的禮拜日"那首詩裏，我們可以看得見，獨清聽見了雨聲風聲，Ton, Ton, Tontaine 的 Cors 的聲音，因之，感到了死之來臨，感到了更深的倦怠和更不可救藥的悲哀了。他感到了香消色散，調子潰散，最後的日子到了。這種凄慘的哀愁，越法地使他憑弔他的過去，他的祖國的過去。

　　如拜輪在歐洲大陸放浪似地，獨清放浪在歐洲的大陸上。如唐吉歌德想作騎士似地，獨清是夢想着作现代的拜輪。在那

12

個時代，不是好多人都有這一類的夢想
麼？維特，聖蒲勒(Saint Proux)不是都成
爲了青年的理想的人物麼？雪萊，哥德，
拜輪，拉馬丁，魏爾林諸人，不是都成了
青年詩人的立身模範麼？沒落的貴族出身
的獨清，夢想着作現代的拜輪，決非偶然
的事體。放浪在歐洲大陸之上，到了古都
羅馬，沒落的悲哀使詩人起了更深的故國
的憑弔。 詩人是永遠 地忘不了 肉感的女
性，也更忘不了商業資本主義在那裏繁榮
過一時的故都長安。於是，在羅馬的廢墟
上，想起了那個"地中海上的第二長安"的
過去。過去的英雄的偉業和永遠不朽的光
榮的歷史，在濛迷的惱人的雨中，他憑弔
起這荒涼的古城來了。我們且聽他悲哀地
歌唱罷。

　　我要痛哭，我要力竭聲嘶地痛哭！

　　我要把我底心臟一齊向外嘔吐！

13

既然這兒像長安一樣　陷入了衰頹，敗傾，

既然這兒像長安一樣，埋着舊時的文明，

我，我怎能不把我底熱淚，我 Nostalgia 的

　　熱淚，

借用來　借用來靈性地灑‧靈性地揮？

雨祇是這樣迷濛的不停，

我已與伏在雨中的羅馬接近‧

啊呵！偉大的羅馬，威嚴的羅馬，雄渾的羅

　　馬！

我真想把我哭瞎，拚我這一生來給你招魂！

　　　　　　　　———弔羅馬

　他爲羅馬招魂，就是爲他的長安招
魂。他喚起羅馬的過去，可是，他所喚起
來了的，是不是羅馬的全部的過去？詩人
獨清的貴族的心理意識，自然地，不能使
他囘憶起來羅馬的過去的全部的面相。在
古時的羅馬，有廣大的殖民地，那種慘無

14

人道的壓迫，那種苛捐雜稅的徵求，那種令人不忍目睹的奴隸生活，那種"取之盡錙銖用之如泥沙"的貴族的豪奢淫蕩的生活，詩人獨清絲毫地都未回喚起來。他的貴族的心理意識理想化誇大化了那些立功的羅馬的武士君王。他回憶起了古代傳說中的建築理想中的都城的 Romulus，他想起古代的那些赤腳袒胸在山坪上牧羊獨吟的詩人。可是像 Romulus 那樣的英雄在現在的繁殖的人類中是不能尋出來一個了。那些可敬的有閑的牧歌詩人現在也是無影無蹤了。他徘徊在七丘之中，可是那"七丘之都"在現在，則是亂石成堆，野草叢生了。於是他哀嘆着：那富麗的宮殿成了這些石傍的餘燼，那些歌舞的美人成了這些草下的腐塵。現在呀，他感得只成了些蕭散的寂寞和死亡的沉靜，而

愛國的豪傑，行暗殺的志士，光大民族的寶

15

作者

都追着那已去的榮華，隨着已去的榮華而退

隱；

榮華呀，榮華是再不能歸來，

他們也是永遠地無處可尋！

——甲羅馬

他哀悼着現代 世界的人類的墮 落不
振，而那則因為：

Cato喲，Cicero喲，Caesar喲，A gus-

tus喲，

唉！代表盜代入物底眞正苗裔，怎麼便一概

範盡！

——邪羅馬

他不了解在歷史過程中有不斷的變化
—— 自然那不是他所獨有的無知，當時的
一般詩人，多多少少地，鞜是不知道歷史
進化的法則的——他認為如果貴族武士君
主的苗爵能存在到現在，還可以有偉大的

16

羅馬建立在這個世界上，於是徘徊過來徘
徊過去，憑弔過來憑弔過去，認真地，他
就喚回起來羅馬的勞民傷財，窮兵黷武的
時代了。他讚美當時的帝王的偉績，和他
們的蓋世的雄威，可是在那種偉業和雄威
的裏面，還潛在着甚麼悲慘世界，他則怕
連想都未有想。他歌頌道：

這一處是往日出名的大競技場，

我想起了建設這工程的帝王：

Vespasianus 是真可令人追想，

他那處造時代的偉績，

永遠把誇耀留給這殘上的古邪！

這一處是靠近舊 Forum 的凱旋門，

在這一望無涯的斷石壘壘中

我好像看見了 Titus 底英魂

當他出征遠方的功業告定，

囘國時　他囘國時，

這直達 Via Sacra 的大道之上，

17

是怎樣的擁滿了羣衆，在狂呼 歡迎！

這一處是矗立雲表的圓碑，

Trajanus 底肖像在頂上端立：

我看了這碑間雕刻的軍馬形迹，

我全身是禁不住的震慄，

震慄於他往日的蓋世雄威！

……………………………

—弔羅馬

他希望着古代的貴族世界復活，他為
羅馬招魂，他哀嘆現在的沒落而讚美着殺
人流血的侵略說：

哦，那一處不留着往日被你征服的血痕？

難道今日你為飢饉所迫，竟去尋那血痕而吞

飲；

你可聽見尼羅河中發出了快意的呻聲？

你可聽見Ca hag 底焦土上吹過了嗤笑的

腥風？

—弔羅馬

18

他的結論則是：

這長安一樣的舊都呀，

這長安一樣的舊都呀，

我望你再興，啊，再興！再興！

——弔羅馬

從中國飄泊到巴黎，而在歐洲大陸作了放浪之旅的獨清，憑弔了羅馬，而在離別時，更不忘懷於別離羅馬的女郎。英雄與美人，是中世的歐洲的騎士的理想，這兩個形象，在獨清的腦子裏，也成為兩個理想的形象。但是，在"五四"的狂流的推動和異國的生活的媒介，獨清的女性的形象是相當地資本主義化了。在這一點獨清是與法國十六世紀的商業資本主義社會的宮廷詩人龍沙 (Ronsard) 有一點連繫。他憂鬱地，悲哀地，在"別羅馬女郎"和"但丁墓旁"裏，哀歌出他對於羅馬少女的懷戀來。

19

在一九二五年，中國起了"五卅"運動，那種咆哮的狂飆自然也要震動詩人獨清的心。"五卅"的意義，獨清當然地是沒有真的理解，然而，從那種抗爭中，獨清怕是祇瞅出來偉大的英雄主義的活動。從他的個人主義的英雄主義的情緒，詩人獨清接近了這個運動。詩人獨清是厭倦了異國的享樂的生活，而想回到中國來完成他的革命的英雄之任務。他的腦袋裏沒有客觀地想到"五卅"以後，是被壓迫的中國民衆的解放運動，而他囘國的主要目的則是想復活祖國的過去。這時，他是要一個轉變：從悲哀的憑弔要轉向英雄主義的實際行動。在"動身歸國的時侯"那首詩中，充實地，反映出在當時他的矛盾的情緒來。他說作了一個怪夢，不錯地，他這種實際行動之要求的發生是從夢想裏產生出來的。貴族的心理意識濃厚異常的他，絲毫

20

地，沒有想到中國民衆現時是處於帝國主義下的水深火熱之中，而是茫漠地無分別地，夢想着在眼前是，"一片荒墳"，"望不盡的焦土"，在耳旁是"可怕的寂靜"，"腳底下全是些枯骨死屍"。 而所憬憧着的是甚麼呢？則是中國古代的貴族和英雄。他夢想着 "建造萬里長城的那些不留姓名的大匠"， 但他好像沒有想到爲建造長城曾經草菅了無數的民命。如弔羅馬似地，他憑弔祖國的過去 。 他責難他的"懶惰的罪惡"，"自私的罪惡"。他要離開那種"醇酒""情婦"的生活。他要訣別了"那些 Bals 的徹夜的音樂"和"那些 Bars 的酒精的爛醉"。然而，那些東西曾經給了他以興奮的陶醉，使他覺得是一種另樣的生活。他悲憫地哀吟出來他不忍別的心緒。

別了，別了，使我留戀的這兒的一切，使我

徘徊不忍去的這兒的一切，使我在這臨去時勵

21

了傷感的遺兒的一切！

——Adieu quartier latin, ad eu
bouquineries riveraines, adíeu marron-
niers……

——動身歸國的時候

這種矛盾的心情鬪爭着，終於，他的
Nostalgia得到了勝利。厭倦了那些肉的陶
醉，他慚悔他過去無用地消費了自己，於
是他說：

我知道祇有孤苦，憂愁，痛疴，絕望，陪伴
我底前途；

我知道沒有甚麼安慰，可使我心上的病傷平
復；

我知道現在是時候已到，須當收束我放蕩的
生活，

我知道我除了去愛故國！再沒有方法贖我底
罪過！

——動身歸國的時候

22

他要管黃河，揚子江，可是，怎樣管法呢，恐怕他還未曾想過罷？那時獨清，如一般朋友們似地，為我們所夢想的國民文學的氛圍氣所籠罩着的。

三

在威尼市作了情歌，夢想着繆塞與喬治桑的舊事的獨清，想死而又未死了的獨清，乘着船回了祖國 把讚頌憑弔羅馬貴族世界的眼睛轉向到接客的埃及人的身上，獨清對於社會的認識似乎微有了不同。他知道埃及人是在作奴隸（"埃及人"）。他或者以為他的祖國的人們也是如此罷。可是，他不知道在那些埃及人裏是也有帝國主義的買辦和御用人的。從西歐回到了上海，看見了十年不見的故國，獨清心中是悲苦交集着。那一種心情，反映出來在"我歸來了，我底故國！"那首詩裏。他看見了

23

祖國的一切都是依舊，十年來沒有改變。

　　還是這些沿街的乞丐，牽曳着帶哭的聲音，

　　還是這許多來往的苦力，身上撲滿着灰塵…

　　　　——我歸來了，我底故國！

而在租界上卻是高樓大廈，管絃幽雅，娛樂場，咖啡店，富人們出入的酒店，旅館。他特別注意到公園，不許華人涉足的租界上的公園。他注意到公園裏邊的綠樹濃蔭，涼風拂遍，而在馬路上卻是苦力在滿身是汗地作着苦工。他注意到富人們租界中跑着汽車。他彷徨着。哀叫着；

　　在這上海市頭，在這上海市頭，在這上海市
　　　頭，

　　我無言無言地祇是彷徨，祇是彷徨，祇是彷
　　　徨，

　　我彷徨地覺着這些公園，這些洋樓，這些馬
　　　路，

　　這些往來的外國步兵，這些步兵肩上的長槍

24

………………………………………………

哦我！這些外來的巨砲，這些外來的兵船，

駐住了這，這可憐的黃浦江濤，不得流轉…

我覺得雖然太陽還曬在這黃浦灘前，

可是，這上海已完全變作了慘白一片…

——我歸來了，我底故國！

而這慘白的一片向他送來了"無限的
失望，悲哀"，而使他作出了如下的祈求
來：

我祈禱這些馬路上被巡捕打着的工人，

我祈禱那些被灰塵撲着的苦力，

我熱烈地祈禱他們，我熱烈地祈禱他們，

祈禱他們更換這兒慘白的色澤！……

哦，起來，起來，起來，起來，起來，

把這慘白的故國破壞！破壞！

——我歸來了，我底故國！

他這樣地嗟悼着，看着苦力和被打的
工人，這樣地祈禱着。然而，在農村中有

25

好些窮苦的農民，在工廠中，還有好些憔悴
的產業工人，獨清是沒有科學地理解社會
的機構。他祇是悲嘆着他在流浪的途中所
見到了的鱗爪的現象。而對於那些現象，
他則是一個感傷的個人主義的旁觀者。

從沒落的貴族淪爲流氓無產階級，從
上海流浪到廣東，客觀的環境，自然要給
獨清以影響。在"致法國友人摩南書"中，
獨清批評了自己的過去。他批評了但丁和
屈原，而特別地他批評拜輪說："我們這
時代所要求的革命家卻決不是拜輪。拜輪
式的革命詩人還不外以個人爲中心，還不
外是一種英雄式的破壞者，這種思想表現
出的行爲固然可以幫助希臘獨立，但也可
以成 Don Quixote 式的騎士，對於現代不
特無益卻反而有損了"。他轉變了，他主
觀地感到了社會上有階級了。可是，雖然
他主張肅清 Decadent 的個人主義，但是他

26

的英雄的 個人主義 仍在持續着 。 在詩篇 "11. D.cembre" 裏，他歌頌着 '廣東暴動" ，那是從他的個人主義出發，大概因為他在那個行動中發現了他的英雄主義的反照，因為從那裏他發現了他所憬憧的騎士的精神。因為他是需要刺激的。而在他從他所憬憧的對象中找不出英雄主義的滿足時，他則走到另一個方向去滿足他的英雄主義去了。在"11. Dec."之後，出現了他的最近的詩集："煆煉"。在"煆煉"中，我們且看他歌唱一個甚麼樣的世界罷。

在"煆煉"裏，我們所看見的形象，是一位"沒有羣衆的革命的"英雄。為"革命"，而犧牲一切，不怕死，不怕住牢獄的，個人主義的英雄 ， 是詩人獨清 的理想 的形象。固然，"改變"一首中，詩人獨清極力地說，他要同頹廢浪漫相絕綫，而歌唱出來：

27

> 要是我眞是詩人，那就再讓我煆煉，
>
> 煆煉到，我底詩歌能傳佈到農工中間，
>
> ——改變

但是，在一部"煆煉"中，我們始終沒有看見集團的農工的形象來。詩人獨清沒有去看社會。在廣大的中國裏，社會情形是怎麼樣呢？獨清並沒注意過。在"煆煉"中沒有大衆，祇有Hero。在各首詩裏，詩人都肯定地提出他的"我"。在各首詩中，我們可以看得出詩人的自己誇耀（Self-Glorification）。在那一切的詩歌裏，仍舊反映着他的個人主義的英雄主義。在"你們說……"裏，他歌唱道：

> 我要使我底生命，—不管他怎樣地短促！—
>
> 要使他淨化，淨化，奔向遼遠的前途。
>
> 要使他好像陽光下的春雪，
>
> 化爲不可阻止的滔滔洪流。
>
> ——你們說……

28

　　這種誇大的個人主義的英雄主義，在
"要是我被人捕去時"更鮮明地表露出來。

　　　要是你被人捕去時，朋友，

　　　望你把你仰慕革命的熱血

　　　醮上你能夠運用的筆頭，

　　　給我，寫一篇我生活的記錄！

　　　　　——要是我被人捕去時

　　他始終相信自己是"革命"領袖。他是
希望着人用着仰慕"革命"的熱血，給他作
一篇英雄傳記。他作了他那兩篇過去的自
傳，大概是出於同樣的動機。"革命"的英
雄主義，同樣地，反映在"偉大之死"裏。
在那裏他讚頌着一個從容就死的女英雄。
在"偉壯的離別"裏，他歌唱着兩個拜輪式
的英雄，在南京路上的訣別。詩人獨清的
個人主義的英雄主義，在 "滾開罷，白
俄！"中，更變成了咒罵被反映出來。裏面
反映着他的濃厚的流氓氣分，詩人獨清居

29

高臨下地，俯瞰着一切。他的"煆煉"的中心，就是一種惡魔的英雄主義，也就是他的貴族的浪漫主義的持續。中國目前的任務，是為民族解放鬪爭。民族解放的要求，在"煆煉"裏是很難以找到的。

雖然他要抛棄開頹廢和浪漫，但他的頹廢和浪漫依然存在。在"煆煉"裏，人瞧不見有社會，祇是有一個"英雄"在假面地跳舞。而頹廢的情緒，還是在殘存着。在"偉大之死"裏，在 ' Der Schrecken" 裏，都多少存在着輓歌的(Elegiaque)情緒。"偉大之死"中，他憑弔着那位女性，我們從其中是很可以看見繆塞的"Souvenirs"影響來。到馬路上去咀呪白俄，也怕有一點頹廢的成分罷。

總之"煆煉"這部詩集，是代表着少數的流氓英雄的空洞的吶喊而已。吶喊的目的，還是在於求興奮的刺激。

30

四

在分析過詩人獨淸的意識之後，再把他的詩的技術簡單地分析一下。

自然，是內容決定形式的。在形式與內容的一致性上，獨淸確是獲得很大的成功。在獨淸的前期的詩作中，他確是完成了他的藝術。在那些詩裏，聲，色，動律，確是和他的情調相一致。就動律的完成上說，"我從Café中出來"，很好地表出醉酒者的動作，"Une Jeune Vagabonde Persane"，很憂淒表出來 Mandoline 的音關，在"最後的禮拜日"裏，那種節奏眞是同歲暮的涼雨淒風的關子相一致，在 "弔羅馬" 裏，那些感嘆的嗟悼是同着徘徊在廢墟之上的他的心情相同，不絕的感嘆號表着他的不住的哀嘆。就色彩的完成上說，如在"玫瑰花"裏，他那種 "水綠色的

31

燈光", "淡黃的頭髮", "蒼白的面頰", "謝
了的玫瑰花瓣" ，確是給人引起肉感的陶
醉，如在"最後的禮拜日"裏，他確是表出
來歲暮的淒涼顏色來了。 他那些 '黃昏'
"細雨"是給人以深刻的彩色的印象的。有
時，他著作出來，令人得到說不出的音樂
的和諧，如"動身歸國的時候"中的Ba's 和
Bars。詩人獨清在法國深受了浪漫主義和
象徵主義的影響。從象徵主義他獲得了旋
律和情調(Nuance)來。他有的時候，使用
着浪漫的音律，而有的時候，則唱着象徵
派的哀歌。而他的貴族的生活環境使他有
時更用香豔的字眼，如"芳魂""香骸"一類
的字眼。

　詩人獨清 完全 拋棄了 舊的詞曲的調
子。舊的詞曲的調子，是沫若所不能拋棄了
的，而獨清竟相當地拋棄了。獨清始終有
着一貫的思想，不像志摩那樣地容易於寫

32

外界所轉移。雖然浪漫的感興和象徵的感
興互相地交流着，但這兩種感興是不相衝
突的。獨清成功了他的自由詩。有時，他
的自由詩中，是韻文詩和散文詩相混和
着。(如"動身歸國的時候")。更有時，成為
了完全的散文詩。(如"Neurasthenie"等)。
而又有時，成為了很整齊的律動，在重複
着。(如"我從Café中出來")。反復地歌詠
着，反復地嗟悼着，也是獨清的詩的特
色。那自然是被他的憂鬱的纏綿的情緒所
決定的。獨清的詩形，研究起來，我認為
是一件有趣的工作。

　　獨清深受了法國的影響，所以他的詩
是表露着模仿的痕跡來。然而，那種模仿
不是奴隸的模仿，而是有其 Originalite
的，我們是很可以舉幾個例子來。譬如在
"最後的禮拜日"中，深深地反映出來他在
模仿拉佛哥(Jules Laforgue)的，而"最後

33

的禮拜日" 更是Laforgue所愛用的題目。
如果把獨清那首詩同 Laforgue："L'Hiver
Qui Vient" 比較一下就可以知道了。又如
在"動身歸國的時候"那首詩中，很多蘭豹
(Arthur Rimband） 的模仿 。如其中的
"Adieu …… " , "Assez vu ……"等，不是來
自Rimband麼？而"動身歸國的時候"的末
段"Siene,Siene……"等等，顯然是拷貝魏
爾林的"巴黎夜曲"(Nocturne Parisienne)。

在前期的作品中，獨清完成了他的藝
術。然而，在後期的"煅煉"中，好像內容
與形式之間存在着不調和了。"煅煉"在技
巧上，是非常地失敗的。獨清想歌唱出他
的Heroisme的情緒，可是他的詩形則是憂
鬱感傷的調子了。直到現在，好像獨清還
沒有拋棄開他的舊的詩形，還沒創造出他
的新形式。

雖然有好多可以被批評的地方，但是

34

獨清的詩始終是代表着一個集團的心理意識，在中國現任詩歌史上，的確是值得注意的作品。特別他的前期的作品，是表露出當時普通的沒落貴族的悲哀來。在社會史的研究上，獨清的詩不能不謂爲可寶貴的資料。

二十三年一月三十日

憑弔吟

8

長　安

長相思，在長安！

（李　白）

I

長安，長安，長安，長安！

我離開你已經有十八九年！

我對你的相思是有加無減，

4

你看，這相思就把我苦得這樣可憐！

長安，長安，長安，長安！
我離開你竟然有十八九年！
我所以這樣的對你熱戀，
因為，你是護持我幼年時代的搖籃！

長安，長安，長安，長安！
我離開你不覺有十八九年！
我儘管這樣暗自地把你呼喚，
原因是，只怕今生再沒有和你親近的機緣！

II

長安，我自從離開你去流浪，
我遊遍許多號稱名勝都城的地方，
可是沒有一覽不使我發生着和你比較的聯
　　想！

在開羅，那人類文明的發源之地，

斯芬克士在排着神祕的大隊，

著名的河流閃着那金色波光，

太陽下的金字塔掩護着古色，古香……

在雅典，天空泛着異樣的藍蔚，

海風在帶來無限醉人的憂鬱，

寺廟，殿堂，都依然表彰着聖代，

廢墟之中存留着光榮的殘骸……

在羅馬，同樣是霸業的舊都，

拉丁文化的遺影還映在蒂白河頭；

蒂白河繞着近代悲哀的沉默，

頹廢了的基督還在那兒維持着最後的王

　　國……

在巴黎，那總總是表現了資本主義的末

　　期，

美酒，女人，一切，一切，都使人沉迷；

那兒空氣中散滿着香料的奇藥，

那藥的作用便是要誘你去享樂……

6

在柏林，這卻又像是替換了另一時辰，
嚴肅的，驕傲的情調在烘染着萊茵：
那兒，充分地代表着現代底勁的地面，
牠是，不斷地爆發着歷史的火山……
……………………………………………

哦，但是你，長安，你卻和這些情形完全
　　不同，
你只是一所古城，沒有人過問，更沒有人
　　對你熱中。
你在東方已經是被人輕視得愈見衰老，
你在世界是名字更少有人注意，知道。
你底過去是永沒有人爲你去復興，發掘，
你底前史就這樣漸漸地陷於泯滅。
近代改變時間的洪潮更像是冲不到你底身
　　上，
你沒有 迷人的陽光 ，也沒有 興奮人的陽
　　光……

1

不過你，哦，長安，你卻有你底特色，爲
　　別個沒有，

你底特色，就恰在那動人的陳舊，灰舊　…

若果有一個知道你來歷的人在去把你訪
　　問，

他一定會發現你底生命和你的靈魂。

你那鋪着已死的世紀底白石長街，

使人一路上便好像是走入了特殊的世界。

喝道的天風和高爽的大陸空氣，

使人即刻明白那是歷代建都的土地。

一座簽牙高啄的鼓樓鎭壓在天空之下，

使人追想到前代底尊嚴，前代底偉大。

你一切都閃耀着悠久的，沉重的光芒，

使人會用整個的感覺，整個的心靈，到你
　　黃金時代中去徜徉！……

哦，並且最好是在那妖幻的**深夜底時分**，

你，長安，在入了你那沉默的寂靜，

那訪問你的客人，若去徘徊，留連，

在你那，你那雄大的鼓樓前面，

那他便會覺得他身旁是有着層層的奇夢，

他是，完全地便墮入在那些奇夢當中！

那鼓樓好像是一個高大得可怖的巨人，

伸出了四面的怪手在抓天邊飛跑的黑雲，

一個墳墓，一個怪境，一個神異的所在兒

無限神祕的奇蹟都在那兒隱藏，都在。那

　　掩埋。

黑雲下冷靜的新月吐出古銅的淡光，

神祕的奇蹟便隱約地浮出在四方：

風吹動或大或小的朦朧暗影，

都是前代底，前代底不朽的幽靈。

風是奏起了一種惑人的聲音，在徐徐，徐

　　徐。

那聲音，即刻便幻出了前代人類底動律，

那卻決然不是乾燥的聲音，荒涼，寂寞，

9

那是，那是現代失掉了的和諧的音樂。

那使人想到了聖代底"大韶""大武"；

那使人想到了"霓裳羽衣"的歌舞；

那使人想到了詩人們底高唱，低吟，

或是李白，或是杜甫，或是元稹……

啊，那是，是往日底光榮，是往日底興
　　盛！

那是，是往日底溫柔，是往日底愛情！

那是往日底創造，往日底誇耀和往日底文
　　化！

那是往日底信仰，往日底功勳和往日底榮
　　華！……

哦，就那樣，你，長安，把你心臟的聲音
　　用旋律去奏送，

人會看見你是顫動，顫動，顫動到你全部
　　都浮在空中……

· ·

10

哦，長安，你有你底特色，你確有你底特
　　色，
你是那樣的會使人心中感到異常的悲哀和
　　異常的壓迫！
你所以現在衰老得和整個的中國一樣，
就因為，你年青的時光，也是中國年青的
　　時光！……

III

哦，長安，我把我流浪過的地方和你一一
　　比較，
可是都沒有，沒有，沒有像你這樣能使我
　　意遠神馳！
啊，我祝你長在，長在，長在，
祝你快快地，恢復你底黃金時代！
祝你，祝你不要，不要化為沙漠
祝你，祝你從新，流開你那千條的運
　　河！……

11

啊，雖然我不知道能不能和你再見，

但是，長安，你總要藏在我底胸中，會一

　　直到我底長眠！

IV

長安，

我底搖籃，

永遠葬我心腸的石棺！

12

弔 羅 馬

登大墳以遠望兮，
聊以舒吾憂心。
（屈原）

Eine Welt zwar bist du, O Rom:
doch ohne die Liebe.
Wäre die Welt nicht die
Welt, wäre denn
Rom auch nicht Rom.
（Goethe）

13

I

我趁着滿空濕雨的春天，

來訪這地中海上的第二長安！

聽說這兒是往日許多天才底故家，

聽說這兒養育過發揚人類的文化；

聽說這兒是英雄建偉業的名都，

聽說這兒光榮的歷史永遠不朽……

哦，雨只是這樣迷濛的不停，

我底胸中也像是被纏潮的淚在浸潤。

——惱人的雨喲，愁人的雨喲，

你是給我洗塵，還是助我弔這荒涼的古

　　城？

我要痛哭，我要力竭聲嘶地痛哭！

我要把我底心臟一齊向外嘔吐！

既然這兒像長安一樣，陷入了衰頹，敗

14

　　傾，

既然這兒像長安一樣，埋着舊時的文明，

我，我怎能不把我底熱淚，我 nostalgia 底

　　　熱淚，

借用來，借用來盡性地灑，盡性地揮？

雨只是這樣迷濛的不停，

我已與伏在雨中的羅馬接近：

啊啊，偉大的羅馬，威嚴的羅馬，雄渾的

　　　羅馬！

我真想把我哭昏，拚我這一生來給你招

　　　魂⋯⋯

　　　　　II

我看見羅馬城邊的 Tiberis 河，

忽想起古代的傳說：

那 Rhea Silvia 底雙生兒，

不是曾在這河上漂過？

15

那個名叫 Romulus 的，

正是我懷想的人物。

他不願同他底兄弟調和，

只獨自把他理想中的都城建作。

他日夜不息，

他風雨不躲；

他築起最高的圍牆，

他開了最長的溝壑⋯⋯

哦，像那樣原人時代創造的英雄喲，

在今日繁殖的人類中能不能尋出一個！

我看見羅馬城邊的山坪，

忽想起古代那些詩人：

他們赤着雙脚，

他們袒着半胸，

他們手持着軟竿，

隨着一羣白羊前進。

他們一面在那坪上牧羊，

16

一面在那坪上獨吟……

他們是真正的創作者，

也是真正的平民。

哦，可敬的人們，

怎麼今日全無蹤影？

—— 坪上的草嗽，

你們還在爲誰長青！

III

啊，現在我進了羅馬了！

我底全神經好像在爆！

啊，這就是我要徘徊的羅馬了！

…………………… …………

羅馬城　，羅馬城　，使人感慨無窮的羅馬

　　城，

你底遺跡還是這樣的宏壯而可驚！

我踏着產生文物典章的拉丁舊土，

徘徊於建設光榮偉業的七丘之中；

17

啊啊，我久懷慕的七丘之都喲，

往日是怎樣的繁華，怎樣的名勝，

今日，今日呀，卻變成這般的凋零！

就這樣地任牠亂石成堆！

就這樣地任牠野草叢生！

那富麗的宮殿，可不就是這些石旁的餘

　　爐，

那歌舞的美人，可不就是這些草下的腐

　　塵？

不管牠駐過許多說客底激昂辯論，

不管牠留過千萬人衆底合歡掌聲，

現在都只存了些銷散的寂寞，

現在都只剩了些死亡的沉靜……

除了路邊行人不斷的馬蹄，車輪，

再也聽不見一點兒城中的喧音！

愛國的豪傑，行暗殺的志士，光大民族的

　　著作者，

都隨着那已去的榮華，隨着已去的榮華而

18

退翳；

榮華呀，榮華是再不能歸來，

他們，也是永遠地無處可尋！

看罷！表彰帝王威嚴的市政之堂，

只有些斷柱高聳，殘堵平橫；

看罷！獎勵英雄功績的飲宴之庭，

只有些黃土滿擁，荒藤緊封；

看罷！看罷！一切代表盛代的，代表盛代

　　的建築物，

都只留得些敗垣廢壚，擺立在野地裏受雨

　　淋風攻……

哦，雨，洗這"七丘之都"的雨！

哦，風，掃這拉丁舊土的風！

古代的文明就被風雨這樣一年一年地洗

　　完，掃淨！

哦哦，古代的文明！古代的文明是由誠

　　實，勇力造成！

但是那可敬愛的誠實是人們，勇力是人

19

們，

現代的世界，他們爲甚麼便不能生存？

哦哦，現代世界的人類是怎樣墮落不振！

現代的羅馬人呀，那里配作他們底子孫！

Cato 喲，Cicero 喲，Caesar 喲，Augustus

喲，……

唉！代表盛代人物底真正苗裔，怎麼便一

概絕盡！

………………………………………

IV

徘徊呀徘徊！

我底心中鬱着難吐的悲哀！

看這不平的山岡，

這清碧的河水，

都還依然存在！

爲甚開這山河的人呀，

卻是一去不囘！

20

這一處是往日出名的大競技場，

我記起了建設這工程的帝王：

Vespasianus 是真可令人追想，

他那創造時代的偉績，

永遠把誇耀留給這殘土的古邦！

這一處是靠近舊 Forum 的凱旋門，

在這一望無涯的斷石壘壘中，

我好像看見了 Titus 底英魂：

當他出征遠方的功業告定，

回國時，他回國時，

道直達 Via Sacra 的大道之上，

是怎樣的擁滿了羣衆，在狂呼，歡迎！

這一處是矗立雲表的圓碑，

Trajanus 底肖像在頂上端立：

我看了這碑間雕刻的軍馬形迹，

我全身是禁不住的震慴，

震慴於他往日的蓋世雄威！

21

．．．．．．．．．．．．．．．．．．．．．．．．．．．．．．．

徘徊呀徘徊！

過去那黃金般的興隆難再！

但這不平的山岡，

這清碧的河水，

都還未曾崩壞！

我只願這山河底魂呀，

哦，快快地歸來！

V

歸來喲，羅馬魂！

歸來喲，羅馬魂！

你是到那兒去遊行？

東方的 Euphrates 河？

西方大西洋底宏波？

南方 Sahara 底沙漠？

北方巴爾幹山脈底叢雜之窩？

22

哦，那一處不留着往日被你征服的血痕？

難道今日你爲飢餓所迫，竟去尋那些血痕
　　而吞飲？

你可聽見尼羅河中做出了快意的吼聲？

你可聽見 Carthago 底焦土上吹過了嘲笑的
　　腥風？

哦，歸來喲！歸來喲！

你若不早歸來，你底子孫將要長死在這昏
　　沈的夢中！

──唉唉，Virgilius 與 Horatius 底天才不
　　存！

Livius 底偉大名作也佚散殆盡！

這長安一樣的舊都呀，

這長安一樣的舊都呀，

我望你再興，啊，再興！再興！……

23

但丁故鄉斷章

I

我在"天國之門"上纔輕輕地敲了幾敲，

我便覺得我變得是異常的弱小：

堦石是這樣的又堅又牢，

我卻禁不住提輕了我底步調；

門樓是這樣的又大又高，

我卻禁不住折着我底前腰。

24

啊啊，我要進"天國"了……

我不曾看見 San Giovanni，

我好像看見了但丁在門中端立。

　　哦，我底但丁喲，

你可是成了這兒底上帝，

要我來受你底洗禮？

我不曾看見 San Giovanni，

我好像看見一個持斧的大匠守在門側。

　　哦，季貝諦喲，

你能不能把你創造的偉力

分一點給我這弱小的後輩？

　　　　Ⅱ

　　鐘聲蕩，

　婀儺河

　　綠波漾。

25

鐘聲蕩，

老橋背

蒼黃像。

鐘聲蕩，

教堂頂

浮天上。

鐘聲蕩，

全城市

動一樣。

鐘聲蕩

鐘聲蕩……

噹，噹，噹，

噹，噹，噹

噹，噹，

噹……

蕩，蕩，蕩……

26

泣濃獄斷章

I

我想起了揚子江上的雨花台，

那周圍也是山明水秀得可愛，

可是那兒底山上的石頭片片

渲染着志士底碧血永遠不乾。

你這座同樣出名的古宮泣濃，

也在可愛的山明水秀底當中，

27

可是在你這無情的石牆以內
也永遠地留着英雄們底熱淚。
唵，可愛的山水就都一樣，一樣，
都在埋藏着，人類底悲哀，悽愴！

II

來夢
　　明淨
溶溶，
泣濃
　　倒影
水中，
和風
　　輕輕
吹送，
閃動
　　波鏡
朦朧，

28

牢宮

破成

飄蓬……

29

澳門二叫

I

總之我要趁我清醒，

趕緊向這兒告別一聲……

原因是這兒只有賭博，

只有墮落，

而沒有鬥爭！

30

　　總之我要把心拿定，

　　趕緊向這兒告別一聲……

　　原因是這兒只有鴉片，

　　　　只有疎懶，

　　　　　　而沒有鬥爭！

　　總之我要毫不留情，

　　趕緊向這兒告別一聲……

　　原因是這兒只有女人，

　　　　只有荒淫，

　　　　　　而沒有鬥爭！

　　我覺得這兒底海水都嗚咽得是分外難聽，

　　就像爲這些帝國主義者底賞賜任哭個不

　　　停……

　　你們這些帝國主義者底賞賜喲，

　　你們這些帝國主義者底賞賜喲，

　　　　總有一天

31

鬥爭會來把你們完全掃平！

雖然目前

這兒是沒有鬥爭，

沒有鬥爭！

II

雖然空氣儘管是這般新鮮，

但是實際卻總是一片黑暗漫漫……

原因是這兒只有賭博，只有賣淫，只有鴉

片……

雖然溫和的風在吹着空間，

但是也不過給這兒多送些睡眠……

原因是這兒只有賭博，只有賣淫，只有鴉

片……

雖然海在澎湃着整夜整天，

但是這兒底罪惡總是冲洗不完……

32

原因是這兒只有賭博，只有賣淫，只有鴉

片……

啊啊，這兒只有賭博，只有賣淫，只有鴉

片……

快來罷，巨浪的事變！

　　　　快把這塊土地推翻！

　　　　　　　趕快推翻！！！

情 愛 吟

36

SONNET

現在是時候了！那夕陽憔悴的淡光裏，

黃葉正把園中的小徑深深地葬殯，

我們正好去緩步兒躞遊，只有我和你，

要是你喜歡聽那脚下黃葉底聲音。

我愛你底裙邊，你縞素的，寬綽的裙邊，

在傳送着嫩涼的風前輕輕地飄盪；

26

我愛在使你裙邊輕輕地飄盪的風前，
看你好像受不住嫩涼的蒼白臉寵。

哦，快來把你底手捻住我底手，止一止我
　　底寒慄！
並且再來把你底頰偎在我底頰上，
好用你清淨的濕淚洗一洗我不曾退掉的淚
　　痕！

我固然是一個流浪的人，心中滿 塞着憂
　　愁，痛苦，
但是，只要來默默地守在你底身旁，
啊，那我便能立刻忘去，忘去我底痛苦，
　　我底憂愁！

31

SONNET

在這被秋夜籠罩着的寂靜的露臺上，
我看着你，你看着我，卻都守着沉默。
但是今夜你莫非有甚麼憂鬱和病惡，
因爲你底臉兒怎麼是這般的蒼白？

你這一頭濃厚的頭髮壓在我底鬢邊，
越顯得你身裁單弱得像病後一樣。

38

但是你身上披着的這件很薄的衣衫

怎能禦得住這露臺上浸人的夜涼？

只有你，總能知道享受這秋夜底寂靜，

只有你，總在這秋夜底寂靜內

知道享受這帶着憂鬱的沉默底深情。

我們就讓這沉默這樣守在我們面前，

就讓這樣你看着我，我看着你，

啊，就讓這樣，都莫要開言，都莫要開

　　言！……

唵，你底聲音····

唵，你底聲音！唵，你底聲音！

正像是 San marco 教堂底晚鐘，

儘管在把我底心來打動：

我不知道是快樂還是驚訝，

我不知道是虔敬還是瘋癲……

我只知道聽到牠的時候，

便恨不得全靈魂和牠溶化！

六

唵，你底眼睛！唵，你底眼睛！

正像是這 Rialto 橋下的碧水，

儘管在使我底心頭沉醉：

這水好像在流動又像停滯，

這水好像在憂鬱又像嬌癡……

我，我一到看見牠的時候，

便恨不得敎牠來把我淹死！

41

能　唱

你底頭髮，你底頭髮，——

你底頭髮是在閃着波浪，

裏面好像滿藏着溫柔，又滿藏着憂傷……

哦，我覺得你底頭髮呀，能唱，

　　　你底頭髮呀，能唱……

你底眉毛，你底眉毛，——

42

你底眉毛在給人訴說着失望，

是這樣迷人的活動，這樣迷人的 又彎又

　　長……

哦，我覺得你底眉毛呀，能唱，

　　你底眉毛呀，能唱……

你底眼睛，你底眼睛，——

你底眼睛好像有許多故事要講，

那故事好像有一種會使人落淚的凄涼……

哦，我覺得你底眼睛呀，能唱，

　　你底眼睛呀，能唱……

哦，能唱，能唱，能唱……

你底頭髮能唱，

你底眉毛能唱，

你底眼睛能唱，

——但是你底口呀，卻總是閉着不響！

43

花　信

其一

妹妹喲，你寄給我白梅幾朵，

用粉紅的柔紙作成了包裹，

筒在了個水綠色的信封之中，

——啊，這是怎樣的在刺著我底感覺！

妹妹喲，聽說古時的詩人，

44

尋梅如同尋他底所愛；

我也被人稱爲個詩人，

我底所愛卻把梅給我送來。

妹妹喲，梅花是象徵着你底丰神，

你是像梅花一樣的可人。

我眞想來把你寄我的這梅花吞下，

好使我底肺腑塡滿你底象徵！

其二

昨日朋友拿來了碧桃一枝，

放在了案頭底瓶中，教我護持。

可是一夜後便紛紛地完全萎謝，

當到我一個幽幽的春夢醒時。

我望着窗外碧海的晴天，

我底心神飛得遼遠，遼遠：

四方都現出了春意正濃，

45

卻怎麼我底案頭有了春殘？

我沒有心情作無謂的傷悼，
只用個信封來把這些花瓣裝好，
寄給不在我面前的如花人兒，
希望她不要像這枝碧桃！

其三

今天你又把兩朵花裝在信內，
我接到時只怕牠們要被壓碎，
忙忙地打開了信封來看，
的確是已現出了十分憔悴。

這兩朵花是可愛的玫瑰，
又恰恰是一紅一白。
我想白的是代表你底心情，
紅的是代表你底顏色。

48

從前法國有個名叫龍沙的詩人，

咏玫瑰正如咏他底生命；

波斯又有個詩人薩狄，

把玫瑰用作他詩集底名稱。

玫瑰自古便受着詩人底愛寵，

牠被他們爭着寫在了詩中。

不過我雖然也在寫着詩歌，

我底情緒卻總有點和他們不同。

我是不作那些空閒的歡笑，悲啼，

因為那些啼笑對於我只是無謂。

我所以對這玫瑰表示熱情，

都因為這玫瑰是你所寄。

我正在說這玫瑰是代表着你底整個，

那牠底憔悴也正如你病後的羸弱，

可是牠濃香的呼吸仍在撲人，

47

我把牠放在了我底口邊，——這便是接近

了，你底脣角……

愁 苦 吟

51

我從GAFE中出來····

我從 Café 中出來，

身上添了

中酒的

疲乏，

我不知道

向那一處走去，總是我底

暫時的住家……

62

啊，冷靜的街衢，

黃昏，細雨！

我從 Café 中出來，

在帶着醉

無言地

獨走，

我底心內

感着一種，要失了故國的

浪人底哀愁…

啊，冷靜的街衢，

黃昏，細雨！

月下歌聲

你這月下的歌聲，月下的歌聲，

把你底

曉舌的詞句

用這樣狂熱的音關

傳來，

在這快要沉靜的時間裏

使人凝神地聽去，

54

眞感覺到

一種帶着不調和的震顫的悲哀……

我，我在夜半的 Rio 底橋頭立定，

接受着這將近休息的 Carnevale 底歌聲。

唵，這眞像是住在了夢中，

不過我底前胸，在痛，在痛……

你遑月下的歌聲，月下的歌聲，

把你底

憂鬱和放肆

交給這冷風向四面

送揚，

就儘管遑樣忽高忽低地

訴出許多的往事，

使人底心尖

在個被迫害的搖動中受着重傷……

我，我在夜半的 Rio 底橋頭立定，

沉迷着這就要入眠的 Carnevale 底歌聲。

55

唵，這眞像是墮在了夢中，

不過我底前胸，在痛，在痛……

53

最後的禮拜日

唉！我好像看見"死"在緩緩地過去，

我真好像看見"死"在緩緩地過去……

唉，這個天氣！唉，這突然的風！唉，這

　　突然的雨！……

哦，風，來在路旁的那些樹上騷擾，放

　　肆，

又不停地向下擲着那些與樹離別的枯枝…

57

哦，雨，帶着那陰鬱的，沉重的惡勢，

來把那些市場上的房屋，工廠內的烟突，

　公園中的長椅，哦，一切，一切都淋

　得很濕，很濕……

哦，風！哦，雨！……

這一年又要完了，一年又要完了，

唵！我底思鄉病！嗹！我底傷感！嚧！我

　底煩惱！……

那些 fêtes éxotiques! Toussaint 呀，Nöel

　呀，都逃退得那樣的迅速，急躁！

這個最後的禮拜日，卻被滿空的黑雲來妨

　害，損耗！……

使我吃驚不小，那所有的色都槁了，所有

　的香都消了，所有的調子都潰散了：

可憐的河邊林！可憐的畦中花！可憐的那

　些能唱的小鳥！

啊啊，可憐的我，──我已被失望逼得負

58

了一身不能治的疲勞，

我怕這個一年最後的禮拜日也就是我底最

後一朝！

我願，我願這個最後的禮拜日成我底最後

一朝，

好使我這無用的身子像那些調子一樣去潰

散，像那些香一樣去消，像那些色一

樣去槁……

啊啊，這個最後的禮拜日，這個最後的禮

拜日，——這一年又要完了，完了，

完了！……

滿空的黑雲，就把這個最後的禮拜日這樣

妨害，損耗！就把晝光掩得這樣的晦

窒！

哦，雨，雨又來把一切，一切，都淋得很

濕，很濕……

59

哦，雨！哦，風！哦，風！哦，雨！

在這黑雲忽來忽去的晝光之下，我好像看

　　見"死"，看見"死"在緩緩地過去……

禮拜堂底鐘，響得是粗暴而悲苦，

哦 athée 的我，也在這被鐘聲激盪的石磴

　　之外無言地逗遛！

那條很長的大路，

已經是少有人行走，

只有些枯黃的落葉，被雨打得不能揚起的

　　落葉，還隨着風勉強在地上亂撲…

那一帶不知是誰家場圃底牆頭，

不是曾掛滿過葡萄底可愛深綠？

但是現在呀，卻連一根老蔓也沒有！

——再見罷，葡萄的收獲！再見罷，那些

　　大筐，小簍！

哦，那些放在 marronniers 下的大筐，小簍！

哦，再見罷，marronniers 底衰瘦的症候！

60

哦哦，marr. nn's rs 底衰瘦的症候，衰瘦的
　　症候！
再見罷，再見罷，那些濃蔭底褪滅，那些
　　乾壳底剝落，還有那些褪滅與剝落中
　　的顫抖！……

使我底心在跳悸的是這些地上的落葉，
——哦，落葉！落葉！落葉！
你們有很多是曾淪剝在寂寞的牧場之上，
　　任那些牛和羊在返地踏折；
你們有很多是集積在廣闊的 boulevard 之
　　間，任清道夫們底掃帚掠刮；
刮你們有很多是去到了遠處的山野，
聚成高丘之後，便化作烈火，使居在荒地
　　的 nomades 或 bohéemiens 圍着過寒冷
　　的時節；
你們又有很多是去靠近那些傾陷了的蔂
　　堆，石碣，

61

為那些無名的死人（怕總有在客中休息了
　　的苦兵，憔悴過度而殭的勞工，絕念
　　而自殺的幻想者）
把沒有家族過問也沒有朋友尋弔的壙門給
　　裝點，陳設……

這又是遠處的 cors ——聽！聽！
遠處的 cors，在用牠們野愁的音調來振動
　　我底神經……
你們也不管人家心中是怎樣的酸痛，
只是奏着 ton ton, on taine, ton ton！……
啊啊，ton ton, ton taine, ton ton！
——停止罷，你們這些難聽的聲！
你們就任風把你們送，送，送，
把你們送到北，送到南，送到西，又送到
　　東……
但是我底神經已受不住這樣的振動，
唵！停止罷，你們這些難聽的聲！

62

唵！ Taïaut！ Taïaut！ hallali！

這個天氣，像是更加昏黯，淒迷 ……

唉，這個天氣！唉，這個天氣！唉，這個
　　天氣！

那些市場上的房屋，工廠內的烟突，公園
　　中的長椅，

可不是都埋在了腐敗的穢銹裏？……

唉，令人得肺病的這個天氣！唉，令人得
　　肺病的這個天氣！

啊啊，滿空的黑雲就把個一年最後的禮拜
　　日這樣妨害，損耗！

被黑雲妨害，損耗的這個禮拜日給我的是
　　思鄉病，給我的是傷感，煩惱

那所有的色都槁了，所有的香都消了，所
　　有的調子都潰散了；

這個天氣，這個天氣，使我負着疲勞的身
　　上更添了疲勞！

69

我願，我底身子也像那些調子一樣去潰
　　散，像那些香一樣去消，像那些色一
　　樣去槁；
我願這個最後的禮拜日，成我底最後一
　　朝　…
啊啊，這個最後的禮拜日，就被黑雲這樣
　　妨害，損耗！

但是，最令人難受的還是這突然的風，這
　　突然的雨，
哦，雨！哦，風！哦，風！哦，雨！
——我眞好像看見了"死"，"死"在緩緩地
　　過去……

64

你唱…

啊，你唱，你唱，你唱，
你使得我這樣的蕩氣迴腸！

你唱出的音波，
好像是一個在追着一個……

你唱出的聲韻，

65

好像是春天底濕雨淋淋……

你唱出的情調，
好像是快要落去的夕照　…

你唱出的顛蕩，
好像是落在水中的月光……

你唱出的明淨，
好像是少女水汪汪的眼睛……

你唱出的朦朧，
好像是冬天底霧氣濛濛……

你唱出的顏色，
好像是美人額間的蒼白……

你唱出的溫柔，

66

好像是春風吹在春水波頭……

你唱出的感情，
好像是愛人間真正的哭聲……

你唱出的沉悶，
好像是天氣陰沉的黃昏……

你唱出的悲哀，
好像是在故鄉廢墟中徘徊……

啊，你唱，你唱，你唱，
你使得我這樣的盪氣迴腸！

67

春　愁

春雨淒淋在我窗前，

窗外透進了無限春寒。

　這不可抵抗的春愁喲，

你好像使我又退囘去了幾年！

可是這滿天的春雨，

像壓着我傷春的過去、

68

我無限希望的未來喲，

快換去我這無用的春愁情緒！

自　然　吟

71

我靠在……

我靠在開着的 Vitrail 底旁邊，
向着春夜底時間閉起了兩眼。
我讓這柔風，來把我底臉龐拂吹，
我輕輕地感着些撫摩，又感着些壓迫，
唉，我不曉得，我不曉得我現在的臉龐是
　　　潤白，抑是蒼白……
總之，微溫，微溫，微溫，

72

這春夜底時間，真微溫得有些醉人！

我靠在開着的Vitrail底旁邊，

向着春夜底時間閉起了兩眼。

我甚麼事也不想，甚麼話也不說，

我底心臟，像增加了一種煩燥的懦弱，

唉，我講不的確，我講不的確我這心臟是

　　好過，抑是難過……

總之，微溫，微溫，微溫，

這春夜底時間真微溫得有些醉人！

73

叫　海

Thalassa, Thalassa.

啊，海，澎湃的大海！

快使我忘去那使我倦怠的悲哀！

就儘管這樣孤獨地飄泊，

終久只是受辱，失敗了

過去那些最熱狂的歡樂，

74

一概是再不能收回……
我自己還有甚麼未來，——還有甚麼應該
　　希望的未來！
但是，但是我願暫時忘去我這為自己的悲
　　哀，
海，澎湃的大海！

啊，海，澎湃的大海！
快使我忘去那使我倦怠的悲哀！
努力創造下的壯業，偉功，
時間一過，永不存在：
所有巳往可誇耀的光榮，
現在都是殘土，餘灰……
這人類還有甚麼未來，——還有甚麼應該
　　希望的未來！
但是，但是我願暫時忘去我這為人類的悲
　　哀，
海，澎湃的大海！

75

我愛海

我本是生在沒有海的北國之人，
可是我對於海卻總是一往情深！
我總是在海邊飄泊不定，
我總是在海邊狂奔，狂奔！
我愛海，因爲牠可以盪我底苦悶，
我愛海，因爲牠可以洗我底胸襟，
我愛海，因爲牠表現着力底特性，

76

我愛海，因爲牠是破壞與創造的象徵……

我愛海，我愛海，我愛海有種種說不出的

　　心境，

我覺得，海是我底愛人，也是我底母親……

啊，我願太陽照得牠正在通紅的時辰，

我來把我，把我沉入牠底波心：

好使我從新，從新有一個生命，

好使我前進，前進，

　　　　　　跟着牠滾滾的前程！……

77

來夢湖的回憶

來夢湖！來夢湖！

我永不忘我和你接近的時候！

那時候，我是一個做着幻夢的少年，在浪

　　遊，浪遊，

你，給了我無限的情緒，　— 憂鬱，溫

　　柔。

78

來夢湖！來夢湖！

那永不忘我和你接近的時候！

那時候，我好像是個無藉的人，真是一無
　　所有，

我那些流落的哀愁，　　都，投在了你底
　　波頭。

79

月　光

Pes Amica Silentia Lunae.
(Vergilius)

月兒，你向着海面展笑，

在海面上畫出了銀色的裝飾一條。

這裝飾畫得就眞是奇巧，

簡直是造下了，造下了一條長橋。

風是這樣的輕輕，輕輕，

把海面吻起了顫抖的歎聲。

月兒，你底長橋便像是有了彈性，

忽高忽低地只在閃個不停。

哦，月兒，我願踏在你這條橋上，

就讓海底歎息把我圍在中央，

我好一步一步地踏着光明前往，

好走向 ， 走向那遼遠的 ， 人不知道的地

　　方⋯⋯

愛 國 吟

63

那些⋯⋯

(摘自"動身歸國的時候")

那些 bals 內徹夜的音樂，

能使人在亂噪中感出調和。

我每當心中生了寂寞

便去步踏那音樂⋯⋯

哦，那確是能慰遣寂寞，

84

那時候，我就好像是另換了一種生活！

——但是，謝謝你們，謝謝你們，

你們這些 bals，從此我便再不進，不進你

們底門！

因爲你們就再怎樣能使我靈魂興奮，

我在這兒卻終是一個呀，一個流落的人！

那些 bars 內酒精底烈香，

能使人把所有的憂患遺忘。

我每當心上有了病瘡，

便去親近那烈香……

哦，那確是能平服痛瘡：

那時候，一切苦惱都離去了我底身旁！

——但是，謝謝你們，謝謝你們，

你們這些 bars，從此我便再不進，不進你

們底門！

因爲你們就再怎樣能使我靈魂安穩，

我在這兒卻終是一個呀，一個流落的人！

85

歸不得

一個飄泊人底 NOSTALGIA.

秋風起了，Populus 已經在動了搖曳。

啊，到處都是黃葉，引人傷感的黃葉！

我，飄泊得好像無藉者的我，還是照

舊踏着異國底土地，卻越發頹唐得不能有

一刻的振作，不能有一刻的發揚，在這秋

風中抖着兩肩，向着東方遠望。

　　唉唉 可憐我底心，可憐我底心，──
一個火山底噴口，沒有一個人來過問，只
是自己在燒着自己底死骨……

　　不能忘懷的是我底故國：那兒底太陽
可還送着溫暖的光輝？那兒底晨風可還蕩
着柔和的呼息？那兒底天空可還泛着潔淨
而深藍的顏色？

　　不能忘懷的是我底故國：那兒底黃河
該不曾改變那偉大的形狀？那兒底揚子江
該不曾退減那可驚的汪洋？那兒底萬里長
城該不曾磨滅那閃耀着久遠歷史的石上的
光芒？

　　唉唉，可憐我底心，可憐我底心，……
一個火山底噴口，沒有一個人來過問，只
是自己在燒着自己底死骨……

　　我在大 西洋 底海濱上受着 浪花底尋
濺，我在阿爾布斯底峯下仰望着永不消溶

87

的白雪。但是那浪化不能洗除我底憂憤，
那白雪也不能冷退我胸中鬱積的煩熱！

Parthenon 底殘柱下我會往返徘徊，
古羅馬底 Forum 中我也曾躑躅幾囘。但是
那些過去的文明底墟墓，只使我想念故國
的愁病更重了起來！

唉唉，可憐我底心，可憐我底心，——
一個火山底噴口，沒有一個人過問，只是
自己在燒着自己底死骨……

哦，風呀，向東方吹着的風呀，你幣
我去罷！因爲這兒不能使我痛快地號哭，
因爲這兒不能安我底靈魂，因爲這兒使我
常背着羞辱，因爲這兒使我常在依賴中生
存……

地中海底水， 你可能通到黃海中去
麼？我願跳在你底波下，我願成爲你波下
的魚餌！

∙∙∙∙∙∙∙∙∙∙∙∙∙∙∙∙∙∙∙∙∙∙∙∙∙∙∙∙∙∙∙∙∙∙∙

88

只是秋風起了，我還是蹲着異國底土地，要是我再不能歸去，那我便祈禱着這迷天的黃葉，——啊，來，來，來把我這無用的骨骸掩埋，掩埋，掩埋！……

89

我歸來了，我底故國！

我歸來了，我底故國！我歸來了，我底故
　　國！
我帶着了一種哀愁與歡樂交迸的沉默！
這久別重逢的感情來把我底心胸壓迫，
我，我畢竟是歸來了，哦，十年不見的故
　　國！

90

唵！一切都是依舊，一都切是依舊，一切
　　都是依舊，
我想尋出這十年來的改變，但是，沒有，
　　沒有，沒有！
到處還是這樣秘陳廢，頹敗占據，
還是這泥濘的道路，污穢的街衢，
還是這些低矮的房屋，蒸濕的陋巷，
還是無數的貧民這樣橫臥在路旁，
還是這些沿街的乞丐，在曳着帶哭的聲
　　音，
還是這許多來往的苦力，身上撲滿着灰
　　塵　…

唵！我夢一般的在這上海市頭信步前行，
不自禁地只是怔忪，只是不寧，只是吃
　　驚……
像這樣的光景，像這樣光景，像這樣的光
　　景，

91

敎我怎能，不把重逢的快感變成失望的心情！

唵！雖然這兒故國底一切都是依舊，依舊，

可是租界上卻添起了不少的高大洋樓……

租界上的街路是異樣的清潔，白皙。

租界上的街樹都栽列得特別整齊，

租界上的娛樂場中，音樂是悠揚，悠揚，悠揚。

租界上的咖啡館中，酒香，煙香，婦女底粉香。

租界上到處都是，到處都是，是富人們出入的酒店，旅館。

租界上富人們底汽車，成隊地停在酒店和旅館底門前。

租界上，租界上的公園緊靠着這租界上的馬路。

92

租界上的公園，租界上的公園是不准華人
　　涉足……

哦哦，租界上的公園，哦哦，租界上的公園，
這樣堅固的鐵門！這樣高大的石灰牆欄！
我知道，我知道當這酷熱的暑天，
公園中一定被濃厚的樹蔭塡滿，
涼風由樹蔭中落下，在緩緩，緩緩，
去把遊客們閒坐着的長椅拂遍，
一定有許多的男女在穿着輕薄的衣衫，
都坐在那些長椅上安然地出神，休憩。
但是，但是公園外的太陽像是要曬焦了馬
　　路上的地面，
卻有許多苦力推着裝土的重車在馬路上掙
　　扎着向前；
他們，他們底臉上，胸上，都滿流着熱
　　汗，
他們底步履都艱難得像要跌倒一般……

93

哦哦 ， 公園底石灰牆欄就把內外這樣隔
　　斷！
公園中的 涼風呀 ， 總是吹不到這馬路旁
　　邊！

但是馬路上卻也有熱風在不時地來吹，
這熱風只把這馬路上的灰塵陸續吹起。
唵！灰塵，灰塵，灰塵就好像是故意，故
　　意，
只去撲着那些掙扎着向前的苦力，苦力…
唵！馬路旁的洋樓總是那樣巍然高立，
那一層一層一列一列的樓窗都在緊閉，
有時蕩出了些鋼琴底聲音，放逸，柔媚，
像是在開跳舞的宴會和歡會的筵席。
苦力們卻推着他們底土車經過這些窗底，
他們， 他們 ， 他們，哦，汗水，哦，灰
　　塵，哦，污泥，污泥……
—— 唵！爲甚？爲甚？熱風能吹起灰塵，

94

熱風就吹不動那洋樓底屋頂！

唉，我好像一個，一個神經變了質的瘋
　　　人，
只在這樣，這樣發着些無謂的瘋想；
我底心像是被火燒着一樣的難忍，難忍，
我只是在這上海市頭往來地徬徨……

在這上海市頭，在這上海市頭，在這上海
　　　市頭，
我無言無言地只是徬徨，只是徬徨，只是
　　　徬徨，
我徬徨地看着這些公園，這些洋樓，這些
　　　馬路，
這些往來的外國步兵，這些步兵肩上的長
　　　鎗……

我，我看見了這些一隊一隊的外國步兵，

95

唱着他們底軍歌，在馬路中央開步，立

　　正。

所有這馬路上的行人，行人，行人，

都被禁止着站在兩旁，不能通行。

所有的行人都帶着恐怖，畏懾，

都只在默默地站立，不敢出聲。

外國步兵，好像在無人的境地一樣，邁步

　　前進，

一排一排的鎗頭上的刺刀，刺刀，哦，那

　　樣鮮明！……

唵！黃浦灘，黃浦灘！，黃浦灘，

水就是這樣的污濁，可憐！

我伏着這岸上的白漆鐵欄，

想聽一聽這兒江濤底狂翻。

可是這污濁可憐的江面，

不見一點漣漪，一點波瀾，

唵！熱淚是已經把我底兩眼漲滿，漲滿，

96

—— 壓着江濤的呀，這些外來的巨砲，兵
　　船！

哦哦　，這些外來的巨砲，這些外來的兵
　　船，
壓住了這，這可憐的黃浦江濤，不得洗
　　轉……
我覺得，雖然太陽還曬在這黃浦灘前，
可是，這上海已完全變作了慘白一片……

唉！慘白！慘白！上海底一切！上海底所
　　有！
—— 只除了那馬路上的巡捕底紅色包頭！

咳，紅頭的巡捕，巡捕，你們，你們，
你們完全忘記了你們底本身！
你們在馬路上立得這樣的安穩，
不停地用手棍打着運貨的工人……

97

唉！慘白就蓋住了上海底一切，上海底所
　　有，
—— 只除了這些打着工人的巡捕底紅色包
　　頭！

．．．．．．．．．．．．．．．．．．．．．．．．．．．．．．．

唉唉，這算是我十年不見的愛慕的故國！
這算是我久想踐踏的繁華的上海！
我現在是只有苦痛的沉默，苦痛的沉默，
我，我恨不曾死在那流浪的海外！
我親着這兒慘白的地土，
我底心卻像是在被烈火掩埋！
像這樣的故國於我何有？
只向我送着無限的失望，悲哀……
我祈禱這些馬路上被巡捕打着的工人，
我祈禱那些被灰塵撲着的苦力，

98

我熱烈地祈禱他們，我熱烈地祈禱他們，

祈禱他們更換這兒慘白的色澤！……

—— 哦，起來，起來，起來，起來，起

　　來，

把這慘白的故國破壞！破壞！

惜 別 吟

101

ADIEU

我心中感着說不出的寂寞，
今夜我送你去飄泊！
但我更是個無藉的人，
明日，又有誰來送我！

哦，我決忘不了你！
因為你有一對好眼，

102

比晴天底夜星還要明媚，

因為你有一對可愛的，誘人的彎眉，

因為你奇妙的聲兒

打動了我弱病的內肺，

因為你身上的香澤

關理了我底呼吸，

並且因為你底額兒是這般的秀美，

因為你這金色的頭髮，

亂絲似的在肩上散披，

哦，我決忘不了你！

我心中感着說不出的寂寞，

今夜我送你去飄泊！

但我更是個無藉的人，

明日，又有誰來送我！

103

我們在乘着‥‥

我們在乘着一隻小舟，

卻都默默地相對低頭，

這小舟是搖得這般的緊急，

使我心中起了傷別的憂愁。

　　憂愁，憂愁，憂愁，

我知道你呀，你是不能挽留！

104

這河水是泛瀾着深綠，

幾片落花在水面輕浮：

我們都正和這些落花一樣，

或東或西或南或北地飄流。

　　飄流，飄流，飄流，

我知道你呀，你是不能挽留！

105

別廣東斷章

I

霧濛濛的陰雨滿天，

無數的帆船都擺列在岸邊，

我沒有一個人陪伴，

獨提着破舊行囊快要上船。

唉，一年的光陰迅速，

106

我在這兒的一年已經到頭！

到現在是只有一走，

在這實在無可奈何的時候！

我底身上起了寒慄，

我底心中已經淒涼到萬分

我一面蹣跚着前進，

一面想我丟在這兒的光陰。

唵，說起來不堪回想，

我在這兒眞是空忙了一場！

結果一切還是原樣，

反使我落了個這樣的逃亡！

II

我來時這兒底天氣是正在宜人，

好像不像現在這樣的昏昏沉沉；

我來時這兒有溫暖可愛的陽光，

107

好像不像現在這樣的悽慘，荒涼；

我來時這兒山原上正草色青青，

好像不像現在這樣的一片凋零；

我來時這兒底江流正綠水漣漣，

好像不像現在這樣的溷濁不堪；

我來時這兒到處開着好花天天，

好像不像現在這樣的滿目蕭條：

總之我來時，我來時這兒一切的甚麼，甚

　　麼，甚麼，甚麼，

都像不像現在這樣的 令人傷感 ， 令人難

　　過，令人寂寞！……

唵！我來時，這兒正是新時代的都城，

到處都正佈滿着偉大的革命呼聲。

到處都漲滿着新的期盼，新的希望，

人人都說這兒是，革命策源的地方。

人人都說這兒要創造我們底光榮，

我們被壓迫大衆底解放就要成功。

108

　　我們那時真要改變這東方的大陸，

　　舊社會的他們，都已經表示了屈服。

　　舊社會那時真要在我們眼前崩潰，

　　那時我們都預備着高呼勝利萬歲。

　　那時我們是東方革命的重要先鋒，

　　全世界都注視着這兒，——哦，你

　　　　這廣東！

唵！但是現在去罷，當這冷酷的侵人的冬

　　天！

唵，這冬天，帶着恐怖的××，罩在我底

　　眼前！

一切都囘復了從前的沉悶和從前的混沌，

這突然之間，怎麽變換得這樣的使人痛

　　心！

……………………………………

103

送　行

奪人的清晨罩滿了街衢，

你要趁這時光爲我們底工作去馳驅。

這停泊的很小的輪船，

竟要載着你偉大的使命而去。

陽光是這樣閃着希望，

雖然目前的上海總有些憂鬱……

啊，我底舊友都分裂完了，

110

現在只剩到你一個，朋友！

不過我們要努力爭取革命的前途，

少數是沒有甚麼要緊，

只要我們底主張是代表多數！

滿江上汽笛儘管在嘶嘶，

我們底聲音就在這大的哄笑中消失。

你看這些苦力底叫號，

好像給我們說明未來的大事。

我們站在這黃浦灘頭

應該得到新時代顯明的啓示……

啊，我底舊友都分裂完了，

現在只剩到你一個，朋友！

不過我們要決心爭取革命底前途，

少數是一點也不要緊，

只要我們底主張是代表多數！

紀 念 吟

113

失望的哀歌之一

唵，太陽拖着夕暮的光輝，
涼風開始了愁人的號吹！
我在這高欄的橋上癡立，
隱帶着一種傷感的迷惑。
唵，人生正像是這片河水，
過去的那些奔流的波迹
　　是再也不囘！

114

是的，使過去的生命再回，誰也不能！
不管是歡樂，悲哀，不管是友誼，愛情
不管是沈醉，希望，非常溫柔的心境，
不管是寶貴的眼淚和誠意的誓盟！

但是我不是享受過最可愛的時間？
我不是有永遠地不能忘記的紀念？
　　唵，回憶罷！唵，回憶罷！
　　在這憔悴般的夕照下，
我願我病慉的心向沈夢中去安眠！

哦！一個溫和而早暖的春天，一個溫和而
　　早暖的春天，
只有我和她，對坐在一所幽靜的廣軒。
被陽光射滿了的窗扉在半開，半掩，
那沒有塵埃的庭地都是 mosaique 的花磚。
她披着件單薄的長衣，色澤很是素淡，

115

越顯得她臉兒蒼白，瘦弱，可憐；

像病了一樣的，她略露着怯懶，

不曾梳理的黑髮蓬鬆在她潔淨的額間。

一個作畫的檯架放在她底當面，

她用她那可愛的右手描着我底容顏；

她描好幾筆，便轉過她動人的眼兒來把我
　　一看，

看過後，又舉起手兒去在檯架上細描一
　　番。

此時只有和藹的沉默把四圍占據，

我覺得，這世界上除我和她以外，一切都
　　像是早已消失。

我覺得她是高貴而莊重，卻沒有一點兒虛
　　驕的氣質；

我覺得她有嫵媚的姿態，雖然是不曾修
　　飾。

我覺得我已改變了生活，再不像是個勞苦
　　的浪子；

116

我覺得我今生最愛的是她，並且，是爲了

　　她，我總在這世界上寄居！

我陷入了陶醉的境狀，就這樣無言地和她

　　對坐，

任她不停地看我，不停地描我，⋯作着

　　她那優美的工作，

我就這樣無言地和她對坐，她就不停地作

　　着她底工作，

一直到窗扉上的陽光快要沉沒：

她總放下了筆兒，帶着工作後的煩悶，

無氣力地在做着她嬌困的欠伸；

我走向前去扶着她慢慢地起立，我底鬢磨

　　着了她底膩鬢，

我底手觸着了她底纖手，我底肩和她底柔

　　肩相　，

我們都倚在窗邊，—— 窗外有薔薇的棚

　　架，

又有茂盛的丁香，滿開着紫色的繁花。

117

微風由 marronniers 底頂上緩緩落下，

攜着些輕冷，來吹動她底黑髮。

只有我和她，倚在窗邊，送着陽光淡紅的
　　薄影，

此時除了那些樹枝顫抖的音響，再沒有別
　　的喧聲。

她忽然把頭兒靠到了我底胸前，好像耐不
　　住那侵人的輕冷，

哦，就這樣！我們是漸漸地，漸漸地隱在
　　了黃昏之中……

唵，真可追想的那些可愛的時間！

唵，永遠地不能忘記的那些紀念！
　　我伏着橋上的高欄，
　　凝望着水上的綠漣。
　　回憶罷！回憶罷！
　　我願我底心呀，
　　就儘管這樣在沈夢中安眠！

118

她底眉兒是怎樣的表示着她純潔的性格！

她底脣兒是怎樣的泛着那嫵潤的顏色！

她底臉龐是那樣的秀媚，美好！

她底身裁是那樣的端莊，窈窕！

她底裝束又是何等的優雅，孤獨：

那淡青的頸巾！那薄黑的衣服！

她雖然是像有說不出的憂愁，失意，

常借她本來穩重的態度，守着厭煩多言的

　　靜默，

但是那傷害年青的，悲苦的痕迹，

卻一點也不曾上她姣嫩而白皙的前額！

她底眼兒雖然是不肯向人多看，

常矜持地下垂，好像含羞一般，

但是她那傳達着情緒的眼瞼，

怎能掩住她眼兒裏的明淨，新鮮！

她底頭髮和她底衣服是一樣的色澤，但卻

　　更要濃厚，光滑；

119

她嬈弱的雙肩，　又　像勝不起她衣服底輕

　　壓；

沒有一種音　響像她　聲兒那　樣使人　感得甜

　　蜜；

沒有一種動搖像她步兒那樣能把人引得癡

　　迷；

她底淺顰能敎人發見她姿致是分外娟妙；

她底微　笑能誘人證出她　底精神　確是清高

　　——

啊，她那清高的精神！啊，她那清高的精

　　神！

她底舉動是無處不流露着大方，溫存！

並且她那不施脂粉的素頰，不多整理的鬆

　　鬢，

使人一見便知道，她從來不用無聊的修飾

　　去消耗光陰！

唵，眞可追想的那些可愛的時間！

120

唵，永遠地不能忘記的那些紀念！

我伏着橋上的高欄，

癡望着水上的綠漣？

囘憶罷！囘憶罷！

我願我底心呀，

就儘管這樣在沈夢中安眠！

哦！使我　不能忘記的是那一早晨，

她很匆忙地走進了我在等着她的那個 Sal-

on底寬門。

她是還穿着她長裙的寢衣，還沒有顧得梳

裝，整頓：

她底黑髮還散披在肩頭，她蒼白的頰上還

帶着睡痕！

她纔看見了我，便奔向前來，用她半裸的

兩臂抱住我底項頸，

仰起她底臉兒在向我訴說，但卻哽咽得不

能成聲；

121

她底眼兒在漲着熱淚，她底胸兒在起着鼓
　　動，

她那不能抑止的感情，竟使她失了平日裏
　　的鎭靜，從容！

她在繼續的向我訴說，她說她是犯了罪
　　過，

她說她從此要謝絕一切人生的快樂；

她說她明知道不應該在那樣的環境　愛
　　我，

但她自主的能力，她克制的意識，卻都完
　　全被我收沒；

她說爲免除各人底煩惱，困難，

她只好讓我遠去，不敢强我再在她底身邊
　　留連，

若是將來有一天，有一天我要來和她再
　　見，

那便請我不要忘記了，以後她底住所是最
　　幽靜的坟園！……

122

哦！她儘管向我訴說，任熱淚把她底臉兒
　　浸洗，

她酥軟的胸兒是鼓動得更促更急。

她底悲苦純然是真誠底流露，沒有一點兒
　　假意：

她是怎樣的倒在了 Canapé 之上，幾乎，
　　幾乎窒閉了呼吸！

哦！只有她，纔能觸動我深奧的靈魂！

哦！只有她，纔是我真正的愛人！

我瘋了一般的抱住她，在她冰冷的額兒上
　　狂吻，

她額兒上為我出的那層薄汗，直沁痛了，
　　沁痛了我底內心…

那一早晨是暴風像要把樹木吹折，

斜雨濕遍了寂寞而嫩寒的長街，

我低着頭走下了那個莊園門前的白滑的石
　　堦，

遂與我一生唯一可戀的，一生唯一可戀的

123

寓所，作了最後的告別。

唵，過去的生命怎麼就這樣在失望中消
　亡？
所餘留的卻僅僅是一個結在心上的病瘡！
但是她底容貌,言語,到死也留在我底心上,
　雖然我是再不能靠近她底身旁！

現在四面都已經入了沈默，
河水底顏色也變成了黯黑。
停止罷，我底沈夢！
爆裂罷，我底哀痛！
　那些紀念，
　那些紀念，
已把我底心湧滿：
我願我底全身呀，
　快到地下
去作永遠的安眠！

124

火山下

甪 Alice.

我對着這傾陷過滂貝邑的火山，

在想着你要爆發人類火山的女傑底容顏。

我幾乎不相信像你那樣的苗條，病弱，

卻是，卻是為自由和强權鬥爭的戰士一

　　個！

125

只是現在，現在根本就失掉了你殉難的地
　　方，
你教我，——教我怎樣能夠抱着你那光榮
　　的體屍去痛哭一場……

這惡耗是這樣的打痛着我底囘憶，
不過，　我卻不願眞用眼淚作追悼你的獻
　　禮。
你使我知道了這××××底橫暴，惡毒：
我只有，只有努力，努力走上你所走的道
　　路！
從此我要改正我這生活上的消沉，癡癲！
不然是，　一還不如跳進這火山口中，讓
　　這無用的身子完全燬化……

126

紀　念

哦，當到我靈魂清醒時，
我便想到了你，想到了你：
你底那由古代罣傳摘下的名冕
便在我胸中豎起了紀念的石碑。

我們不見已有快二十年的光陰，
這快二十年中我底墮落是最不堪問！

127

我對任何人不講起你底姓字，
可是你底容貌永遠保持在我心中深深。

有誰知道我底智識的來由
和我所以能有這些兒造就
都是出自一個沒有人過問的人，
一個病弱的，埋沒着的女流？

你那消瘦而韶秀的容顏，
我今生不知道能不能有緣再見？
可是你賜給我的貴重的恩惠，
我至死都要配帶在我底胸前。

我知道我們底思想已經是隔了幾個世紀，
我也知道你盼望我的熱情總是不減往昔，
可是這個我們社會給與我們的矛盾，
沒有方法來使我們得一個安息！

128

珍重罷，至死縈我夢魂的可人！

珍重罷，我用眼淚追憶的女性！

我只有獻身鬥爭，終身孤獨，

以酬答你對我的希望，對我的熱情！

哦，當到我靈魂清醒時，

我便想到了你，想到了你：

你那由古代賢傳摘下的名兒，

在我胸中豎起了一個紀念的石碑。

同　情　吟

131

UNE JEUNE VAGABONDE
PERSANE

她手兒在 mandoline 底弦上輕撥，

她口兒唱着令人癡迷的柔歌。

她在弦上撥，她在弦上撥，

撥出的聲音就像是在哭她底罪惡⋯⋯

哦，她既然是到處地奔波，

怎能不經些可悲痛的墮落！

132

　　我在為她傷感呀，我也在為我傷感呀，

　　──我要叫她來，叫她來把頭兒枕在我底

　　　　心窩！

　　她口兒唱着令人癡迷的柔歌。

　　她手兒在 mandoline 底弦上輕撥，

　　她唱出的歌，她唱出的歌，

　　分明是訴說她曾被人百般地折磨……

　　哦，她底故國已將要毀破，

　　當然她過的是忍辱的生活！

　　我在為她傷感呀，我也在為我傷感呀，

　　　　我要叫她來，叫她來把頭兒貼住我底

　　　　心窩！

133

埃及人

I

埃及人！

哦，你們，

都是穿着寬大的衣服，

頭上裹着各色的包頭，

都赤着腳站在個帆船上，

舉起手爭着向來客亂嚷。

134

哦，你們，你們，你們，

你們這些埃及人！

埃及人！

哦，你們，

都是臉上在積着污泥，

無秩序地在岸上聚立：

強把來客圍着不肯走開，

拿出各種的商品來叫賣。

哦，你們，你們，你們，

你們這些埃及人！

II

唉，埃及人，埃及人，埃及人，埃及人！

我對你們是有無限尊敬的熱忱，

難道你們卻只做這樣接客的人？

唉！埃及人，埃及人，埃及人，埃及人！

135

我對你們是抱着個愛慕的眞心，
難道你們卻只能做這樣的商人？

　　這樣接客的人！這樣的商人！
　　你們使我兩頰漲滿了淚痕 ……
你們底國土，可不是最古最有名的國土？
你們，不是要算地球上最有歷史的民族？
但是，爲甚現在卻過的是這奴隸的生活？
爲甚現在就甘心去忍辱，就甘心去墮落？
你們就完全不想紀念你們過去的榮華？
你們就眞完全忘記了你們往日的偉大？
知不知道你們應該負創造文明的光榮？
知不知道你們祖先是最初的天才，英雄？
知不知道你們立過人類第一次的信仰？
知不知道你們建過那誇耀蓋世的廟堂？
知不知道你們有過最可驚的黃金時代？
知不知道你們底土地有最神聖的餘灰？
哦，爲甚四方底人們都能到你們底土地來

136

弔問，

你們自己卻只在做這樣接客的人，這樣的

商人？……

答我罷，埃及人！答我罷，埃及人！

因爲，我尊敬你們，我愛慕你們！

III

咳！埃及人！

我好像聽得尼羅河中發出了一片動人的嗚

咽，

又好像看見那最大的斯芬克士在無言地泣

血……

咳！埃及人！

咳！埃及人！

我真想掘開所有一切的金字塔中存留的墳

墓，

137

好抱着那些裹着黄袍的永不朽的屍首去痛
哭．
　　唉！埃及人！

IV

去罷，去罷，埃及人！快去罷，埃及人！
或是去死，或去喚醒你們底靈魂！

自 述 吟

141

遺　囑

啊，今晚我，我就要死了，我就要死了，
朋友，快來，來把我底這些詩稿燒掉！
我，我是一個孤獨的，一生飄泊的人，
還沒有完全離去所謂青春的年齡。
正當是孩童時便走出了我底故鄉，
就這樣，就這樣一個人飄泊在四方。
我底生活，完全是，是不健全的生活，

142

我底生活，是盡被無謂的傷感埋殁。

我死後不願意再聽到傷感的啼哭，

那都是無用的聲音，徒煩亂我心頭，

也不要去在我底墓前立甚麼碑銘，

只要能夠認識，都不妨把墓頂推平

最好常到我墓前述我死前的疲倦，

好使，使我在墓中常感着悔恨，不安，

啊，今晚我，我就要死了，我就要死了，

朋友，快來，來把我底這些，詩稿燒焯！

143

陽　春

唵，陽春喲，你在向我招手，
但是，你到底於我何有？
我，我是完全失掉了自由，
沒有一些兒能活動的時候；
雖然我還不曾眞被人拘囚，
可是卻已經成了一個囚徒；
我是幾乎不知道今天去了的白晝

144

到明天能不能再向我叩頭……

唵，陽春喲，你就再來向我招手，

但是，你到底，你到底於我何有？

145

你們說……

你們說我是走到絕路底頂邊，
說我一點也不顧自己底安全；
並且你們說我不會再有詩歌，
因為我優美的情感都已枯完。

朋友，這的確　　然哉！然哉！
我沒有在我底安全上想來。

146

可是我有個你們想不到的滿足：
時代底波浪常在我胸頭澎湃！

我要使我底生命，── 不管牠怎樣的短
　　促！──
要使牠淨化，淨化，奔向遼遠的前途。
要使牠好像那陽光下的春雪，
化爲不可阻止的滔滔洪流。

我底情感，那卻是永遠的新鮮，
我敢說，永遠像五月底花瓣一般，
我要用我不老的春風永遠護持，
永遠要開向新開闢的人間。

我底詩歌（雖然是改變了音腔）
會不斷地在空氣中蕩漾，
牠將生起了行動的雙腳，
勇猛地走向時代底前方！

147

我底詩歌：牠將是汽笛底哄笑，

牠將是苦力底動人的叫號，

甚至牠將是烈火底怒吼，

要把舊世界全部燒焦……

朋友，我已經是這樣的決定，

你們再不要，不要為我勞心。

你們底勞心並不會引起我底感謝，

因為你們是已經成了，成了，——成了我

　　底敵人！

附 錄
獨清自傳

3

獨清自傳

（節錄"我文學生活的回顧"）

我在很小的時候，便有把自家底幻想塗在紙上的習慣。這原因是由於家庭的環境。我底家庭是破落的官僚家庭，古色古香的文學空氣非常濃厚，這便影響了我。我九歲時便開始做詩，我覺得能夠把單字綴成有韻的句子是一件最快樂的事體。同時，我又做着許多舊體裁的文學作品。不消說那些是談不上甚麼，不過這表明了我在幼年時代便已經和文學接觸了。

我把自己寫的東西公開到社會上去，這是開始於我在本省報上的投稿。那時我是十六歲，為了學費的中斷，想由這種方法去找一點學費。起初我在寫着一些筆記式的雜文，以後又做着政治的文章。但是我底目的沒有達到。因為當時投稿可以得到報酬的事幾乎是連聽也沒有聽見人說過。不但錢的報酬得不到，就連一份登着自己文章的報紙也得不到。不過我不灰心，還是繼續做了下去。結果，一家報館請我去當了總編輯。

在那不值錢的總編輯的生活中，我把多半的時間都用去做了政治的文章或編了新聞。這生活繼續了不久，報館便被當局封閉，而我也就以亡命者的資格離開了故鄉，　着又離開了故國。

在日本的幾年中，可以說是我和外國文學開始真正見面的時期，這時我纔知道

5

了外國文學底好處。在這時以前，我固然是讀過一些外國文學作品的譯本，但是那卻沒有使我感到一點甚麼。

從日本回到上海，又從事於報館事業，同時又作着工會的活動，所以每天寫的文字都是社會運動的文字。當時中國是"五四運動"的時期，我幾乎把整個時間都用去參加實際的運動。不過這時我已經露出想在文學方面發展的企圖了，只是沒有專心從事寫作。算是一直到我又離開了中國，浪遊在歐洲的時候，這總真把身子浸在了創作裏面。

在歐洲所以能開始了文學生涯，那一面是時代的關係，一面是自家生活的關係。那時在中國算是"風飆時代"，算是中國市民思想革命（"五四運動"）後浪漫運動興起的時期，我文學生涯的開始便使我成為這運動中之一員。但是因為自己又住

6

在歐洲，就是說，處在大戰後資本主義破產的現象最現明的地方，所以便又即刻染上傷感主義的色彩。——這個，便是我前期作品底二重性的原因。

在歐洲，我本是先研究着科學，但是後來卻用全力去吸吮文學的空氣。和我當時的生活一樣複雜，我盡我能力所及在去認識歐洲底各樣文學。

歸國後時間又被實際的活動佔領了大半。但是我卻是甦醒過來了。這幾年在中國的行踪，大概朋友們都是知道的，也用不着再在這兒多說。不過有一點卻是應該說明：一九二八年創造社底文化運動是中國現代文化史上的一個新紀元，這運動卻只是個序幕，將來的交響曲一定還會來的。我過去是這運動底主要參加者之一，將來的志願也還是要這樣去努力（若果在中途不發生意外的話），自從創造社分化

7

以後，我底環境跟着也起了種種變化，但
是，我相信，歷史的浪潮會把我面前的壓
迫除去，也會把一般 "Pseudo 革命者"淘
汰淨盡！

王獨清詩歌代表作

全一冊實價三角五分

著　　者	王　　獨　　清
發　行　者	亞　東　圖　書　館
發　行　所	亞　東　圖　書　館
	上海五馬路棋盤街西首
分　售　處	各省各大書店

中華民國二十四年十二月出版

王獨清著作及其版本表

聖母像前　詩集（一九二六年光華書局出版，一九二七年改版，歸創造社出版部出版，爲"創造社叢書"之一，後由樂華圖書公司印行，現歸用明書店。）

死　前　詩集（一九二七年創造社出版部出版，爲"創造社叢書"之一，後由樂華圖書公司印行。）

威尼市　詩集（一九二八年出版，過去及現在印行所同上。）

埃及人　詩集（一九二九年江南書店出版，現絕版。）

II DEC.　詩集（一九二九年創造社出版部出版，現被禁。）

楊貴妃之死　戲劇（一九二七年創造社出版部出版，爲"創造社叢書"之一，後由樂華圖書公司印行。）

貂蟬　戲劇（一九二九年江南書店出版，後由樂華圖書公司印行。）

暗雲　短篇小說集（一九三一年光明書局出版。）

煆煉　詩集（一九三二年光華書局出版，現被禁。）

我在歐洲的生活　自敘傳（一九三二年光華書局出版。）

長安城中的少年　自敘傳（一九三三年光明書局出版。）

獨清文藝論集　論文講演集（一九三二年光華書局出版，現被禁。

零亂章　詩集（一九三三年樂華圖書公司出版。）

獨清譯詩集　（一九二九年現代書局出版。）

但丁新生　（一九三四年光明書局出版。）

獨清三種　雜文集（一九三四年長安出版社出版。）

獨清詩集　（內包括‘聖母像前’”死前”“威尼市”“埃及人”四種，一九三〇年湄濱書店出版，現絕版。）

獨清詩文選集　（一九三〇年文藝出版社出版，現絕版。）

獨清詩選　（一九二八年新宇宙書店出版，後歸新教育社印行。）

獨清自選集　（一九三三年樂華圖書公司出版現被禁。）

（凌石編）

亞東圖書館印行

新 詩 集

故事

伊所伯的寓言	汪原放譯	九角五分
一千○一夜	汪原放譯	八角
印度七十四故事	印度昇略編 汪原放譯	七角
六裁判	汪原放譯	二角五分
波斯傳說	章鐵民譯	六角
西藏的故事	英國謝爾頓著 程萬孚譯	五角
大黑狼的故事	谷萬川編	七角五分
紅葉童話集	一葉編	四角
上古的人	房龍著 任冬譯	三角

亞東圖書館印行

上海亞東圖書館印行

文集

胡適文存　胡適著　洋裝兩冊，兩元八角　平裝四冊，兩元二角

胡適文存二集　胡適著　洋裝兩冊，三元　平裝四冊，兩元四角

胡適文存三集　胡適著　洋裝兩冊，三元二角　平裝四冊，兩元六角

獨秀文存　陳獨秀著　洋裝兩冊，兩元七角　平裝四冊，兩元一角

孟和文存　陶孟和著　洋裝一冊，一元一角　平裝一冊，七角五分

吳虞文錄　吳虞著　三角五分

文木山房集　吳敬梓著　線裝兩冊　一元二角